La pierre des dieux

Les Légendaires, volume 1. *La Pierre de Jovénia* – Sobral
© Guy Delcourt Productions – 2004

© Hachette Livre, 2012
Tous droits réservés
Novélisation : Nicolas Jarry
Conception graphique du roman : Valérie Gibert et Philippe Sedletzki

Hachette Livre, 58, rue Jean Bleuzen, 92178 Vanves Cedex

D'après l'œuvre de Patrick Sobral

LES LÉGENDAIRES

La pierre des dieux

hachette JEUNESSE

LES LÉGENDAIRES

DANAËL

Le chevalier du royaume de Larbos est le chef des Légendaires. Son épée d'or est au service de la justice et a été forgée dans le monde elfique.

GRYF

L'homme-bête aux griffes capables d'entailler la roche est le meilleur ami de Danaël. Courageux et impulsif, il s'attire souvent des ennuis !

JADINA

La princesse magicienne a une grande maîtrise des sortilèges. Mais c'est aussi une enfant gâtée souvent insupportable !

RAZZIA

Le colosse de Rymar a une force hors du commun. Très loyal envers le groupe, il protégera toujours les Légendaires.

SHIMY

Cette elfe élémentaire est capable de fusionner avec l'eau et la terre. D'apparence réservée, elle n'hésite pourtant pas à dire ce qu'elle pense !

Comment tout a commencé...

*D*ans les montagnes de Shiar, s'élevait la plus étrange et maléfique des demeures : un château appelé Casthell. Encore plus étrange et maléfique était son propriétaire, craint et connu de tous sous le nom de Darkhell, le sorcier noir. Son ambition démesurée était de dominer le monde d'Alysia grâce à ses terribles pouvoirs magiques.

Mais ses plans de conquête étaient sans cesse déjoués par cinq justiciers incarnant les plus belles valeurs du monde d'Alysia : le courage, l'intelligence, la noblesse, la force et la pureté. On appelait ces héros les Légendaires !

Chaque nouvelle défaite affaiblissait Darkhell qui sentait sa fin proche. Il décida alors d'utiliser l'une des six pierres que les dieux avaient créées pour donner naissance à Alysia : la pierre de Jovénia. Elle devait lui permettre de retrouver la force de sa jeunesse.

Mais encore une fois, les Légendaires intervinrent et c'est alors que l'irréparable se produisit ! Pendant le combat, la pierre de Jovénia tomba... et se brisa. Darkhell reçut de plein fouet l'onde de choc magique et fut instantanément terrassé. Même le sombre château ne put contenir la formidable énergie de la pierre qui déchira le ciel des montagnes de Shiar, avant de recouvrir de sa lumière la surface du monde d'Alysia.

Un étrange phénomène se produisit alors : les habitants d'Alysia, tous sans exception, se mirent à rajeunir au point de redevenir des enfants !

Les Légendaires, malgré leurs pouvoirs, partagèrent le même destin que les autres qui les désignèrent comme seuls responsables du sortilège maudit. Chassés du royaume, ils décidèrent de mettre un terme à leur union et chacun partit vers sa nouvelle vie. C'était la fin d'une ère, la fin d'une époque...

CHAPITRE 1

Retrouvailles

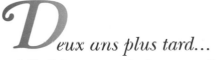

eux ans plus tard...

Nioki court si vite que le vent siffle à ses oreilles. Il est le plus rapide et le plus habile de son village, et cette année encore, il sait que la coupe lui reviendra ! Il serre son bâton à crochet entre ses mains. Le vainqueur sera celui qui aura récolté le maximum de pomuts, des fruits en forme d'anneau. Et surtout, il ne faut marquer aucun temps d'arrêt, sous peine d'être disqualifié.

Nioki connaît bien chacune de ces règles. Il a déjà gagné trois coupes.

Tout le village est là pour encourager les coureurs. Les cris et les applaudissements résonnent dans toute la vallée.

Les concurrents s'engagent dans les bois, Nioki en tête. Le jeune athlète aperçoit un pomut violet, en partie caché par le feuillage. Il s'élance. Mais au moment de cueillir le fruit, il sent une ombre dans son dos. Gryfenfer bondit. Il prend appui sur la tête de Nioki et brandit son crochet pour récupérer le pomut.

L'enfant-fauve atterrit de l'autre côté et décoche un sourire moqueur à Nioki.

— À moi la coupe ! lance-t-il, avant de disparaître avec une rapidité surnaturelle.

10

Stupéfait, Nioki regarde cet étranger à la crinière de fauve et aux yeux de chat s'éloigner. Il prend alors conscience qu'il s'est arrêté de courir.

— Disqualifié ! hurle un arbitre dans son dos.

Pour la première fois en trois ans, ça ne sera pas lui le vainqueur.

Gryfenfer rit encore du visage stupéfait de Nioki, quand une silhouette encapuchonnée surgit sur sa route. Il tente de l'éviter, mais l'inconnu l'attrape par son bâton à crochet. Le geste est fulgurant et d'une parfaite maîtrise.

Stoppé brutalement dans son élan, Gryfenfer trébuche et s'étale pitoyablement dans la boue. Alors qu'il est encore au sol, tous les autres concurrents de la course le dépassent en le piétinant joyeusement.

Gryfenfer crache de la terre. Il se redresse en menaçant l'inconnu de ses terribles griffes.

— Toi, tu es mort ! Donne-moi ton nom que je le grave sur ta tombe !

Le garçon retire sa capuche. L'épée qu'il porte dans le dos semble bien trop grande pour lui, mais Gryfenfer reconnaît son ancien compagnon d'armes : Danaël, le chevalier à l'épée d'or ! Ses yeux bleus n'ont pas perdu leur éclat.

— Da... Danaël ?

Incapable de contenir sa joie, il attrape son ami par le cou et le secoue dans tous les sens.

— Hé ! Tout doux, Gryfenfer ! J'ai mis du gel ce matin ! s'exclame Danaël.

L'enfant-fauve se redresse, un doigt sur la bouche.

— Ne prononce pas ce nom ! Ici, je m'appelle juste Gryf, personne

ne sait que je suis... enfin que j'*étais* un Légendaire !

— Je comprends, dit le chevalier. Gryf, j'ai besoin de toi et du reste du groupe. Je veux reformer les Légendaires pour une dernière aventure.

— Écoute, Danaël, c'est bien gentil tout ça, mais la seule façon de me convaincre de reprendre du service serait de me dire que tu as trouvé le moyen d'inverser le sortilège qui nous a fait retomber en enfance !

— C'est le cas !

Gryf reste un long moment bouche bée. La nouvelle est incroyable.

— J'ai juste une bricole à faire et j'arrive, déclare-t-il finalement.

Il s'élance vers la ligne d'arrivée et arrache la coupe des mains du vainqueur. Quand il revient en courant, tout le village est à ses trousses.

— C'est bon ! crie-t-il à Danaël.

Mais je crois qu'on devrait pas trop traîner dans le coin !

CHAPITRE 2

La princesse Jadina

a nuit vient de tomber sur Alysia. Danaël, le chevalier, et Gryf, l'enfant-fauve, voyagent à deux sur le dos d'un girawa tacheté, une grosse monture calme. La route est longue. Depuis trois jours, ils se dirigent vers l'est. Ils traversent une grande forêt dont les arbres centenaires forment une gigantesque voûte au-dessus de leurs têtes.

— Tu n'as pas mauvaise conscience d'avoir volé cette coupe au village ? demande Danaël.

— Ben non ! Je l'aurais gagnée si tu ne m'avais pas empêché de finir la course ! affirme Gryf en haussant les épaules.

— Tu ne risques pas d'y remettre les pieds après ça, tu sais.

Gryf lui explique que la vie de villageois n'est pas faite pour lui.

— Et celle d'aventurier, alors ? l'interroge le jeune chevalier.

— Justement ! Quand est-ce que tu vas me dire ce que tu as trouvé pour résoudre notre petit problème ?

— Tu le sauras quand on sera tous réunis. Trouvons d'abord les autres.

Autour d'eux, la forêt devient de plus en plus lugubre. Les arbres se rapprochent de la bordure du chemin, tendant leurs branches maigres

et noueuses sur leur passage. Des
loups hurlent au loin.

— Tu es sûr que Jadina vit par ici ?
s'étonne Danaël en regardant autour
de lui. C'est plutôt isolé pour la maison d'une princesse !

— C'est une longue histoire… Il vaut mieux que ce soit elle qui te la raconte.

Au détour du chemin envahi par les ronces, Gryf tend le doigt vers une chaumière qui ressemble à une cabane abandonnée.

— Là ! On voit sa maison d'ici. On est presque arrivés.

— Ça ?! s'exclame Danaël. C'est une blague ? La princesse magicienne Jadina habite ce… truc ?

La cabane semble sur le point de s'effondrer. La toiture est recouverte d'une mousse brunâtre, les murs sont fissurés, deux des volets gisent sur le sol et la porte pend misérablement de ses gonds !

— C'est une très, très, très longue histoire… soupire Gryf devant l'air stupéfait du chevalier.

Alors qu'ils ne sont plus qu'à

quelques mètres de la ruinc, une énorme boule de feu éventre la toiture. Elle grimpe un moment dans le ciel étoilé avant de descendre droit sur eux. Les deux compagnons ont à peine le temps de s'écarter. L'explosion les envoie rouler entre les arbres.

— Gryf! Est-ce que ça va?! s'écrie Danaël en se relevant.

L'enfant-fauve sort d'un fourré, encore tout fumant.

— Je sens le cochon grillé, mais je crois que ça ira ! En revanche, pour la monture, on aura du girawa rôti au menu ce soir...

Puis il se tourne vers la maison, les mains en porte-voix :

— Jadina ! C'est Gryf et Danaël ! Arrête de nous bombarder, espèce d'idiote !

Jadina ouvre alors timidement la porte de sa maison. Sa chevelure noir corbeau encadre son joli visage et ses grands yeux verts. Comme lorsqu'elle était adulte, la princesse est toujours aussi belle.

— Gryf et Danaël ! s'écrie-t-elle en les reconnaissant. Mes amis, c'est bien vous !

Elle s'élance vers eux. Elle est si émue qu'elle trébuche sur une branche de bois mort et... finit brutalement sa course dans les bras de

Danaël. Les deux Légendaires rougissent d'être aussi proches l'un de l'autre.

— Bon, vous êtes contents de vous retrouver, on a compris ! grogne Gryf en les séparant. Mais tu peux nous expliquer, pour ta boule de feu, Jadina ?!

— Désolée ! s'excuse la jeune fille, rouge de honte. Je ne vous visais pas, croyez-moi. En fait, j'essayais d'allumer la cheminée !

Devant la mine perplexe de ses amis, la princesse leur explique que depuis qu'elle est redevenue enfant, elle a beaucoup de mal à contrôler ses pouvoirs magiques.

Danaël lui demande alors pourquoi elle vit dans une cabane en ruine.

— Gryf n'a rien voulu me dire, ajoute-t-il. Je croyais te retrouver dans le château de tes parents !

— Ôôôôôôh funeste destinée !

déclame Jadina, une main sur le cœur, l'autre tendue vers le ciel. Les dieux ont été si cruels avec moi ! Après avoir quitté les Légendaires, je suis retournée auprès de ma famille. Mais la disgrâce m'avait suivie et la honte pesait au château d'avoir pour princesse l'une des responsables du fléau qui s'était abattu sur Alysia. Mes parents n'ont eu d'autre choix que de me bannir...

Puis elle se jette à genoux en se mettant à pleurer bruyamment.

— Ouais... Elle a pas changé, elle en fait toujours des tonnes ! grommelle Gryf, agacé par la comédie de la princesse.

— Et maintenant, je vis comme une paysanne ! gémit-elle. Sans serviteurs, sans petits croissants le matin, sans bains parfumés à la camomille...

— Pff, et c'est reparti ! s'agace encore Gryfenfer.

Puis il se tourne vers Danaël :

— Tu devrais lui annoncer la nouvelle...

— Une nouvelle! Quelle nouvelle? les interroge Jadina, soudain très intéressée.

Le jeune chevalier, un peu embarrassé, lui explique qu'il sait comment briser le sortilège de la pierre de Jovénia et qu'il a besoin des Légendaires pour y parvenir.

— Tu accepterais de nous accompagner? ajoute-t-il avec une pointe de timidité.

— Mais bien sûr! Il suffit de le demander gentiment...

— Vraiment? s'étonne Danaël, plein d'espoir.

— NON, MAIS TU M'AS VUE?!! hurle la princesse, furieuse. Être membre des Légendaires a été la plus belle erreur de ma vie! Regarde le résultat ! Et tu veux que je remette ça ? Tu peux repartir !

— Ah oui ? Navré d'avoir fait partie de ta plus belle erreur ! réplique Danaël, vexé.

— T'es encore là !?

— Je suis déjà parti !

— Parfait !

— Parfait !

— PARFAIT !

— Allez, Gryf, pas la peine de perdre notre temps ici, déclare Danaël, comprenant qu'il n'aura jamais le dernier mot face à Jadina.

Tout en grommelant, il s'engage d'un pas décidé sur le chemin du retour.

NON, MAIS TU M'AS VUE ?... ÊTRE MEMBRE DES LÉGENDAIRES A ÉTÉ LA PLUS BELLE ERREUR DE MA VIE. REGARDE LE RÉSULTAT ! ET TU VEUX QUE JE REMETTE ÇA ? SI C'EST CE QUE TU VOULAIS, TU PEUX REPARTIR !!!

CHAPITRE 3

Un Légendaire en prison

*M*atasa est la plus importante ville portuaire du royaume de Rymar. Sa prison est creusée dans la falaise et sa seule issue est protégée par deux grandes portes d'airain. Ces portes sont elles-mêmes surveillées par des gardes qui portent l'uniforme rouge des patrouilleurs maritimes de Rymar.

Le soleil vient juste de se lever

quand Gryf et Danaël se présentent devant l'entrée. Ils portent de grandes capes pour cacher leur visage. Ils viennent voir un vieil ami. Le patrouilleur demande alors au chevalier de lui remettre son épée et deux geôliers les escortent à l'intérieur.

Dans sa cellule, le prisonnier passe le temps en sifflotant. Il est tellement gros que la couchette de son cachot grince à chaque fois qu'il change de position… Il soupire en voyant sa gamelle désespérément vide. Son ventre lâche un gargouillis de colère.

Il s'étonne d'entendre les gardiens approcher de sa cellule. Ce n'est pas encore l'heure de la soupe, même s'il est déjà affamé ! Il n'attend pas non plus de visite. De toute façon, depuis la séparation des Légendaires, il n'a plus beaucoup d'amis…

Il se tourne vers ses deux visiteurs.

— Tu ne reconnais pas tes meilleurs amis, Razzia ? s'exclame Danaël.

Le garçon se dit qu'effectivement il a déjà vu ces visages... Gryf retire sa capuche. Quand la crinière rousse de l'enfant-fauve se déploie sur ses épaules, le visage joufflu de Razzia s'éclaire d'un énorme sourire.

— Danaël, Gryfenfer ! Ben za alors ! Z'que ze zuis content de vous voir !

Avant la malédiction, Razzia était un géant taciturne, tout en muscles, dont le visage fier et noble semblait taillé à coups de serpe. Aujourd'hui, il est redevenu l'enfant potelé et jovial qu'il avait été. Il fait une bonne tête de plus que Danaël et le double de son poids !

— On a eu du mal à te retrouver ! Comment es-tu arrivé en prison ? s'étonne le jeune chevalier.

— Zé pas compliqué ! La zemaine dernière, z'ai manzé dans une auberze et z'avais pas azzez pour payer !

— Si ce n'est que ça...

Et Danaël se propose alors aussitôt de régler la note de son ami. Mais Razzia a mangé en un seul repas pour mille kishus ! Soit le prix de deux girawas grillés entiers ! Le chevalier et Gryf n'ont même pas le dixième de la somme.

Comprenant que ses compagnons souhaitent le faire sortir de prison,

Razzia agrippe fermement la grille de sa cellule. Sous l'effort, le tissu de sa chemise se tend! Les barreaux d'acier résistent quelques instants avant de se tordre dans un crissement épouvantable.

Razzia se glisse dans l'ouverture et serre ses amis entre ses gros bras.

— Alors? Où z'est qu'on va?

Mais les deux gardes, une fois revenus de leur surprise, s'avancent vers le trio.

— Ils zont à moi! s'écrie joyeusement Razzia en faisant craquer ses doigts boudinés.

— Tout doux, hein? le tempère Danaël.

Mais son ami a déjà envoyé valser le premier contre un mur. Puis il assomme le second d'un coup de poing. Les deux patrouilleurs se retrouvent étalés sur le sol, quelques dents en moins.

— Dis-moi, Razzia, si tu pouvais sortir aussi facilement, pourquoi tu ne l'as pas fait plus tôt? s'étonne Danaël.

— Ben, tu zais, on mange à l'œil, izi!

— Bon, sortir de la cellule, c'est une chose, mais sortir de la prison? s'inquiète Gryf.

— J'ai ma petite idée, déclare Danaël.

Il s'approche des gardes encore inconscients et commence à les déshabiller.

La relève vient d'avoir lieu quand les trois amis sortent du bâtiment. Danaël et Gryf portent l'uniforme rouge des patrouilleurs et ils encadrent étroitement Razzia qui est menotté. L'enfant-fauve tient sous son bras un bac contenant leurs propres vêtements.

— On transfère le prisonnier dans une autre ville! dit le jeune chevalier avec assurance.

Le chef des gardes s'avance vers eux, méfiant. Il désigne le baquet que porte Gryf.

— Qu'est-ce que tu transportes là-dedans?

— Oh! Ça? bredouille Gryf. Le prisonnier est un gros mangeur, alors on emporte des provisions pour le voyage!

Et il rattrape Danaël et Razzia qui ont profité de la diversion pour s'éclipser discrètement.

Le petit groupe trotte un moment vers la ville, puis bifurque brusquement vers le port pour tromper d'éventuels poursuivants. L'alerte n'a pas encore été donnée, mais ils savent que ce n'est qu'une question de minutes. Bientôt leur stratagème sera découvert.

— Il faut trouver un bateau, et rapidement! déclare Gryf.

— Un bateau? dit Razzia en se débarrassant de ses menottes. Mais z'en ai un, moi! Za vous dit?

— Embarquement immédiat! s'écrie Danaël. En route vers l'île de Koléana!

CHAPITRE 4

La reine de la foudre

*L*e vent souffle fort, le ciel est dégagé et le port de Matasa est déjà loin. Le *Dragon des Mers*, le bateau de Razzia, fend l'eau en soulevant de grandes gerbes d'écume. À chaque vague, le voilier monte et redescend brutalement, au désespoir de Gryf qui a déjà vomi son petit déjeuner et même son dîner de la veille !

— Ça va, Gryf? s'inquiète Danaël. Tu n'as pas l'air dans ton assiette !

— Si, si... au poil ! répond l'enfant-fauve entre deux haut-le-cœur.

— Ze crois qu'il a le mal de mer ! se moque gentiment Razzia.

Il sort de la cabine, son énorme sabre « Léviathan » dans le dos. Soudain, Gryf se redresse :

— Danaël ! Ton épée ! Elle est restée au poste de contrôle de la prison !

OUAIS ! AVEC MON ZABRE, LE "LÉVIATHAN", ZE ZUIS FIN PRÊT !

— Je ne l'ai pas oubliée. Elle a été forgée par les elfes à partir de mon sang. Ce qui fait que je suis relié à elle, où que je sois.

Il prend une longue inspiration et tend le bras. Un halo doré entoure sa main.

— Regardez...

Une ligne de lumière s'élève dans le ciel, du côté de la cité. Elle monte, semble ralentir, puis oblique dans leur direction, fendant l'air à une vitesse affolante.

— C'est l'épée d'or ! s'exclame Gryf, stupéfait.

Danaël s'élance vers la prouc du navire, bondit et attrape l'épée à la volée. Il fait décrire un arc de cercle à son arme et termine son enchaînement en la pointant vers le ciel, les cheveux dans le vent, perché fièrement sur la proue.

— Heu... Il ze la zoue pas un peu, là ? demande Razzia.

— Pff ! Il a jamais su faire simple... soupire Gryf.

Tout à coup, un choc terrible ébranle le navire, déséquilibrant les passagers. Le voilier avance encore de quelques mètres, puis s'immobilise définitivement.

— Le bateau z'est arrêté ! On a dû heurter un rézif ! s'écrie Razzia, paniqué.

— Si loin des côtes ? s'étonne Gryf.

Mais alors que Danaël repose le pied sur le bateau, l'eau se met à bouillonner autour de lui. L'écume est verdâtre. Une odeur affreuse d'algues pourries envahit le pont.

Soudain, un œil monstrueux, perché au bout d'une grosse antenne, jaillit devant Danaël. L'iris est rouge, et la pupille ovale le fixe avec intensité. Puis une créature gigantesque surgit des flots dans un grognement assourdissant. Elle est plus haute que le navire, son corps de mollusque possède une gueule immense et huit tentacules griffus. Son œil unique et malveillant est braqué sur les trois Légendaires.

— Un poulpor géant! hurle Danaël. Demi-tour!

Mais déjà les tentacules s'abattent sur le pont pour attraper les Légendaires, fracassant tout.

— Il est en train de détruire le bateau de mon couzin! crie Razzia en esquivant une attaque.

— Ton cousin?! Je croyais que c'était ton bateau! s'étonne Gryf.

— Arrêtez de papoter! s'énerve Danaël. Si on ne tranche pas rapidement ses tentacules, savoir à qui

appartient le bateau ne sera plus un problème !

Mais ni les griffes de l'enfant-fauve ni l'épée d'or ne peuvent percer l'épaisse carapace de corail qui protège le monstre.

— Pouzzez-vous, les freluquets ! rugit Razzia en dégainant son sabre. Z'est un travail pour le colozze de Rymar !

— Attention, derrière toi ! crie Danaël.

Razzia n'a pas le temps de se baisser : un tentacule l'envoie valser sur Gryf. L'enfant-fauve se retrouve écrasé sous la masse de son ami inconscient.

Le jeune chevalier comprend qu'il est désormais seul face à la bête. L'unique endroit qui n'est pas protégé par la carapace de corail est son œil. D'un geste puissant, Danaël projette sa lame à la manière d'une lance. L'épée entre dans l'œil, mais le monstre se met à se débattre et à rugir de plus belle. Le bateau tangue dangereusement.

— Je n'ai réussi qu'à l'énerver encore plus ! s'écrie Danaël, désarmé et à court d'idées.

Il se rapproche de ses compagnons. Razzia reprend conscience alors que Gryf parvient à peine à respirer.

Le poulpor se hisse sur le navire. Il les domine de toute sa taille.

— Ça y est ! C'est la fin, les amis ! murmure Danaël.

Mais au moment de refermer ses crocs sur les Légendaires, le prédateur est foudroyé par un éclair blanc. Ses tentacules s'immobilisent et son gros corps inerte glisse dans les profondeurs glacées de la mer.

— Que s'est-il passé ? murmure Danaël, étonné d'être encore en vie.

— La foudre a été attirée par ton épée, répond Gryf en se relevant péniblement.

— La foudre ? répète Razzia, le nez en l'air. Mais il n'y a pas de nuages !

— Et vous vous dites des Légendaires ! se moque une voix féminine dans leur dos. Vous ne savez pas reconnaître un éclair de magie ?

Tous se tournent vers Jadina. Elle est en équilibre sur son bâton-aigle, à quelques mètres au-dessus du sol. Elle a revêtu sa tenue de Légendaire.

— Jadina ! s'écrie joyeusement Danaël. Je suis si content que tu aies changé d'avis !

— N'en parlons plus, minaude la princesse en sautant sur le pont. Et puis que feriez-vous sans mes pouvoirs magiques, hein ?

Razzia s'élance déjà pour la serrer dans ses bras.

— Plus que Shimy, et les Légendaires seront au complet ! déclare Gryf.

CHAPITRE 5

L'île des elfes

*L*a nuit est tombée. Le navire file tranquillement sur une mer d'huile. Les quatre Légendaires sont réunis sur le pont. Danaël décroche un médaillon de son armure et le lève devant lui, à bout de bras, face à l'horizon.

— Qu'est-ce qu'il fait? demande Gryf, perplexe.

— On ne peut accéder au pays elfique que de nuit, grâce à une clé

magique, lui explique Jadina. Shimy lui en avait donné une.

— Regardez ! chuchote Razzia, émerveillé. Za z'active !

Le médaillon, devenu lumineux, projette sur la mer un disque semblable à un miroir. L'ouverture argentée s'agrandit jusqu'à engloutir le *Dragon des Mers*. Aussitôt, une lumière aveuglante se répand sur le pont.

— Il fait jour ? s'étonne Gryf.

— Oui. À Alysia, le temps ne s'écoule pas de la même façon que dans le monde elfique, explique Jadina.

Ils découvrent alors la splendeur de l'île de Koléana. Les tours elfiques blanches et élancées se mêlent aux arbres anciens jusque sur le littoral. Une grande sérénité règne sur l'endroit.

— Il me tarde d'accozter ! s'exclame Razzia, enthousiaste.

Mais une fois à terre, les Légendaires se retrouvent encerclés par une troupe d'elfes archers.

— Je parie que cette peste de Shimy est derrière tout ça ! grommelle Jadina.

— Nous ne venons pas en ennemis ! s'exclame Danaël. Pas de blague ! Nous sommes...

— Nous savons qui vous êtes ! le coupe une voix en colère.

Un jeune elfe sort du rang.

— Vous êtes les tristement célèbres « Légendaires » et cet accueil vous est bien destiné. Nous devinons la raison de votre venue. Shimy ne vous accompagnera pas !

Soudain, une elfe chevauchant un énorme félin s'interpose entre l'archer et les quatre compagnons.

— C'est encore à moi de choisir ! déclare Shimy, perchée sur son Lionfeu.

— Rentre tout de suite à la maison ! lui ordonne l'archer, furieux. Après l'accident Jovénia, j'ai dû supplier le conseil pour que tu ne sois pas bannie, alors fais preuve d'obéissance !

— Je fais ce que je veux ! réplique la cavalière. Et puis, même si tu es mon père, tu as le même âge que moi. Alors un peu de respect !

— Puisque tu ne veux rien entendre… gronde l'elfe en se tournant vers sa troupe, archers, abattez ces humains !

Mais avant que la bataille ne s'engage, Shimy saute de sa monture et pose une main sur le sol. Un puissant tremblement ébranle alors tout le quai. Les archers sont violemment projetés à terre.

Shimy s'avance tranquillement vers son père et s'accroupit devant lui.

— Mon petit papa, tu sembles avoir oublié que je suis une elfe élémentaire. Et en tant que telle, je peux commander l'eau et la terre !

— Comment oses-tu...

— Écoute et réfléchis à ceci, poursuit la jeune elfe avec assurance. Qu'est-ce qui plairait le plus au conseil : que je quitte cette île ou que ses meilleurs archers se retrouvent à l'hôpital ?

Le chef de la troupe baisse les yeux.

GULP !

VOILÀ, ON SE COMPREND ! ALLEZ, ALLEZ, ON EMBARQUE !

Il sait qu'il ne peut pas retenir sa fille contre sa volonté. Shimy se tourne vers ses compagnons.

— Allez, on embarque ! Lionfeu, suis-moi !

— Heu… Tu tiens vraiment à emmener ton animal de compagnie ? lui demande Danaël en regardant l'énorme félin.

—Pourquoi pas ? lui répond Shimy avec malice. Tu amènes bien Jadina, toi !

— Répète un peu, pour voir ! s'écrie la magicienne, folle de rage.

Gryf prend Jadina par le bras :

— Laisse tomber ! Tu sais bien qu'elle aime te titiller ! Ce n'est pas méchant.

— Elle me le paiera ! promet Jadina, vexée.

Alors que le navire quitte le quai, le père de Shimy s'avance en courant.

— Prends soin de toi, ma fille !

— Comme d'habitude, mon petit papa ! lui répond l'elfe en lui envoyant un baiser.

CHAPITRE 6

Bienvenue à Klafooty!

Les Légendaires sont revenus à Alysia grâce à la clé magique, et ils se sont rassemblés autour de Danaël, dans la petite cabine du *Dragon des Mers.*

— Puisqu'on est tous réunis, je vais vous révéler ce que j'ai trouvé, dit le jeune chevalier. La pierre de Jovénia, qui a été détruite, était l'une des six pierres qui ont créé notre monde.

On n'a jamais su où Darkhell se l'était procurée, mais l'une des autres pierres devrait pouvoir inverser le sortilège.

— Tout ça, c'est de la théorie, réplique Jadina. On ne sait même pas si elles existent !

— Elles existent !

Danaël sort de la doublure de sa cape une grande carte détaillée et la déroule devant ses compagnons.

— TA-DAAA ! J'ai mis plus d'un an à la trouver. Elle indique l'emplacement des pierres magiques, ainsi que le pouvoir spécifique de chacune d'entre elles. La troisième pierre des dieux, la pierre de Crescia, peut être utilisée pour redonner à Alysia son vrai visage !

Danaël attend que sa révélation fasse son petit effet, puis il demande :

— Alors ? Vous en êtes ?

— SÛR ! répondent en chœur ses compagnons.

— On prend quelle direction ? l'interroge Jadina avec impatience.

Danaël sait que l'enthousiasme de ses amis risque de retomber assez vite.

— Heu... Quelle direction ? Hum...
Ha ha ! Apparemment, les pierres se
trouvent dans la région de Klafooty.
Elle est bien bonne, hein ?

Un silence pesant s'abat dans la
cabine. C'est Jadina qui reprend la
parole.

— La région de Klafooty est la plus
dangereuse d'Alysia ! Elle abrite des
monstres et des démons de l'ancien
temps. Aucun humain n'y vit, à part
les fous ou les criminels !

Danaël sait qu'il doit convaincre
rapidement les Légendaires.

— Tu crois que j'ai choisi l'endroit
où sont cachées les pierres ? On a
une chance de réparer les erreurs du
passé et je trouve que le risque vaut la
peine d'être couru. On devra traver-
ser les marécages acides de Gulom, la
vallée des Dents de Pierre, le désert
de Muliba... Croyez-moi ! Ce sera un

MAIS MAINTENANT, NOUS AVONS UNE CHANCE
DE RÉPARER LES ERREURS DU PASSÉ, ET
JE TROUVE QUE LE RISQUE VAUT LA PEINE D'ÊTRE COURU.

voyage long, très très long, et plein de dangers, avant qu'on arrive aux portes de Klafooty...

Les cinq Légendaires regardent le paysage désertique avec une certaine incrédulité.

— On est arrivés ? Vraiment ? s'étonne Gryf, perplexe.

— Tu n'as qu'à lire ! lui répond Shimy. Regarde, c'est écrit là-bas.

Un grand panneau est planté à une trentaine de mètres de leur position.

Il y est inscrit en granbrethon :
« Bienvenue à Klafooty ».

— Ça a été rapide quand même !
insiste Gryf.

— On n'a même pas eu de vraie
bagarre ! se désole Razzia.

Ils dominent une vaste plaine de
terre battue par les vents, sillonnée
par des gorges profondes. Plus loin
au nord, s'élève un massif de montagnes noires et menaçantes.

— Bon, on va s'arrêter quelques
heures. On l'a bien mérité ! décide
Danaël.

Shimy interpelle Jadina, assise à
califourchon sur son bâton-aigle.

— Hé, princesse ! C'est quand tu
veux, pour nous aider à installer le
camp !

La magicienne saute à terre,
furieuse.

— Qu'est-ce qu'il y a encore,

Shimy ? Tu n'arrêtes pas de me chercher !

— Oh ! Pardon ! se moque l'elfe. Aurais-je blessé le petit cœur de sa seigneurie ?

— Shimy, tu vas trop loin !

Mais avant que les deux filles n'en viennent aux mains, un hurlement retentit dans le canyon en contrebas. Un garçon à la tignasse brune est attaqué par un troll armé d'un fouet barbelé. N'écoutant que son courage, Danaël s'élance à son secours. Il glisse sur la pente et tranche le fouet de la créature avec son épée d'or.

— Très très zoli ! dit Razzia en applaudissant.

— Du grand art ! approuve Gryf.

Le troll, surpris, recule avant de s'enfuir sous les sifflements des Légendaires.

Danaël veut aider le rescapé, mais

celui-ci repousse la main tendue.

— Est-ce que je t'ai demandé quelque chose ? J'aurais pu m'occuper de ce troll tout seul !

Danaël désigne la fronde du garçon.

— Avec ça ?

—J'ai des pouvoirs magiques, mais j'ai un peu de mal à m'en servir. Pas vrai, Vertig ?

Le garçon s'adresse à un bel oiseau à la crête bleue qui vient de se poser sur son épaule. Le volatile se met à croasser comme pour confirmer.

— Remontons, dit Danaël. On sera mieux pour parler.

Le jeune chevalier fait les présentations.

— Et toi, quel est ton nom ? demande Jadina au nouveau venu.

— Élysio. Du moins, c'est celui que m'ont donné les habitants du village qui m'ont recueilli.

— Comment ça ? l'interroge Razzia.

— Écoutez... Je veux bien vous raconter mon histoire, mais pas le ventre vide ! Vous avez quoi de bon à manger ?

Avant que Danaël ne l'invite à se joindre au groupe, Gryf entraîne son ami à l'écart.

— Ce type, il a quelque chose qui ne va pas... murmure-t-il. Crois-en mon instinct d'homme-bête.

— Il a raison, dit Shimy. Lionfeu aussi est agité en sa présence.

— On ne l'abandonnera pas tout seul ici, juste en se basant sur des impressions ! déclare le jeune chevalier. Venez, on va monter le campement.

Shimy et Gryf échangent un regard.

— Danaël nous faisait plus confiance avant ! soupire l'enfant-fauve.

— Oui, il a changé.

CHAPITRE 7

Accidents

—**J**e n'ai aucun souvenir qui soit vieux de plus de deux ans ! Depuis l'accident Jovénia en fait, explique Élysio en mordant avec appétit dans un morceau de pain.

Il donne quelques miettes à son oiseau qui se met à picorer.

— Tu ne te rappelles pas ta vie d'avant la catastrophe ? lui demande Jadina. Ça veut dire que tu ne sais pas si tu es un vrai enfant ou un adulte qui a rajeuni ? Incroyable !

— J'ai jamais entendu dire que le sortilège avait ôté la mémoire à qui que ce soit ! dit Gryf.

— Élysio, tu as bien dit que tu avais des pouvoirs magiques ? Peut-être que c'est à cause d'eux que l'accident Jovénia t'a touché différemment, suppose Danaël.

— Moi aussi, j'ai des problèmes avec les miens, approuve Jadina.

Razzia se penche à l'oreille du jeune chevalier.

— Zi z'est vraiment le zortilège qui lui a fait perdre la mémoire, vaut mieux pas lui dire qui on est…

Élysio sourit.

— Je sais déjà que vous êtes les fameux Légendaires ! Je l'ai vite compris d'après les descriptions qu'on m'a faites de vous. Et je parie que

ET JE PARIE QUE VOUS ÊTES VENUS À KLAPOOTY POUR LA MÊME RAISON QUE MOI, À SAVOIR...

... TROUVER LA PIERRE DE CRESCIA POUR INVERSER L'EFFET MAGIQUE QUI NOUS A FRAPPÉS !!

vous aussi, vous cherchez la pierre de Crescia pour inverser l'effet magique qui nous a frappés !

Devant les mines stupéfaites des cinq compagnons, il sort une carte identique à celle de Danaël.

— Il y a un mois, j'ai entendu parler de cette carte qui indique l'endroit où les dieux cachent leurs pierres.

— Tu as vu, Danaël, il a la même carte que toi ! dit Razzia en inspectant le parchemin. Mais lui, il a mis qu'un mois à la trouver...

— C'est donc ça ! Tu veux les pierres pour ton propre compte ! l'accuse Gryf. Pas pour aider Alysia !

— C'est vrai que je veux utiliser

la pierre pour retrouver la mémoire !
Mais l'un n'empêche pas l'autre,
réplique Élysio, vexé. J'ai autant
envie que vous de rendre à Alysia sa
véritable apparence. Je le dois aux
villageois qui m'ont recueilli après
l'accident.

— Si ce sont tes intentions, tu peux
te joindre à nous, dit Danaël.

— Moi, je vote pour qu'on le laisse
ici ! s'entête Gryf.

— Avec ou sans nous, il ira à la
recherche des pierres. Alors tu ne
préfères pas garder un œil sur lui ?
argumente le jeune chevalier.

Puis il se tourne vers Jadina :

— Bon, on est tous fatigués et la
nuit porte conseil. Jadina, tu prends
le premier tour de garde.

La nuit est tombée. Jadina est
assise sur un gros rocher. Elle repense
à sa vie d'avant avec nostalgie. Elle

sursaute en sentant une présence dans son dos.

— Tu parles d'une sentinelle ! Tu as failli avoir un infarctus ! se moque Shimy.

— Je ne sais pas ce qui me retient de tirer tes grandes oreilles d'elfe ! répond Jadina, refoulant son envie de lui donner un bon coup de bâton magique.

— Je ne viens pas te voir pour parler de la longueur de mes oreilles ! Gryf et moi pensons qu'Élysio est une menace, mais Danaël ne veut rien entendre. Toi, il t'écoute...

— Danaël me fait confiance, c'est vrai, et c'est réciproque. S'il pense qu'Élysio peut nous accompagner, alors je le pense aussi.

— Je ne sais pas pourquoi je perds mon temps avec toi !

Shimy s'éloigne de quelques pas avant de se retourner.

— Au fait, Gryf m'a raconté que ta famille t'avait bannie, et tout le reste... Le destin est étrange, non ? Toi, tes parents ne te veulent plus chez eux, et moi, mon père ne voulait plus que je quitte notre île ! Même dans le malheur, on s'oppose !

Jadina sourit :

— Je ne sais pas trop ce que tu

70

essaies de me dire... mais merci !

L'elfe acquiesce avec tristesse et regagne sans un bruit le campement.

Le lendemain, ils entament l'ascension d'un massif montagneux. Ils avancent le dos collé à la paroi pour résister aux violentes rafales de vent. Gryf est épuisé, il n'a pas dormi de la nuit. Il a surveillé Élysio qui marmonnait dans son sommeil. La fatigue pèse de plus en plus lourd sur ses épaules à mesure que la journée avance. Finalement, c'est au moment où le chemin s'élargit un peu qu'il fait un faux pas et bascule dans le vide. Il tente de se rattraper à la paroi, mais elle s'effrite. Alors qu'il pense que tout est perdu, la main d'Élysio se referme sur son avant-bras.

— Je croyais que les chats retombaient toujours sur leurs pattes !

— Merci… murmure Gryf, le cœur battant la chamade.

Tout à coup, Élysio se transforme en un monstre au regard fou. Il éclate d'un rire démoniaque et lâche l'enfant-fauve dans le vide. Gryf savait bien qu'il devait se méfier de lui ! Maintenant, c'est trop tard, il plonge dans le précipice…

CHAPITRE 8

La promesse
d'un Légendaire

Gryf se réveille en hurlant. Il est au milieu d'une grande prairie pleine d'énormes fleurs ressemblant à des nénuphars.

— Je suis au paradis ?

— Mais non, imbécile ! se moque Jadina en s'avançant. On est de l'autre côté des montagnes.

Elle lui tend une gourde.

— J'ai mal partout ! Qu'est-ce qui m'est arrivé ?

— Tu as failli tomber dans les montagnes. Élysio t'a sauvé la vie, mais tu as violemment heurté la paroi. Tu es resté inconscient un bon moment.

— Alors c'était un rêve... murmure Gryf pour lui-même, comprenant qu'il a mal jugé leur nouveau compagnon de route. Où est Élysio ?

— En bas de la colline. Les autres sont allés chercher des provisions.

Élysio est adossé à une fleur géante, son oiseau à ses côtés.

— Je suis désolé, dit Gryf en s'approchant. Je me sens vraiment stupide de ne pas t'avoir fait confiance.

Élysio hausse les épaules. Il n'a plus rien du jeune garçon effronté et vantard. Il a surtout l'air malheureux.

— Tu sais, Gryf, en dehors de mon village, tout le monde se montre soupçonneux vis-à-vis de moi parce que mon passé est obscur. Mais je pensais que vous, les Légendaires, seriez différents. Le monde d'Alysia ne vous fait plus confiance. Comme moi, vous inspirez la peur et la colère.

Gryf a honte de lui.

— Écoute-moi, Élysio ! Je ferai tout ce qui est en mon pouvoir pour t'aider à retrouver ton passé. Tu as ma parole d'homme-bête et de Légendaire !

Il s'interrompt brusquement. Ses sens sont aux aguets.

— Qu'est-ce qu'il y a ? s'inquiète Élysio en se levant.

— J'ai entendu des cris !

Soudain, Jadina, Danaël, Razzia et Shimy surgissent dans la plaine en courant.

— On dirait qu'ils fuient quelque chose ! dit Élysio.

— On a un problème ! hurle Jadina.

Un essaim d'insectes aussi gros que des girawas apparaît dans leur dos.

— Courez ! leur crie Shimy. Ils vont nous massacrer !

Et toute la troupe se retrouve à fuir ventre à terre.

— Élysio, Gryf ! Prenez à gauche !

ordonne Danaël. J'ai repéré des plantes géantes. On pourra s'abriter dessous !

Ils s'engagent dans une tranchée profonde d'une dizaine de mètres et large du double. Au bout de celle-ci, se trouve une forêt de plantes gigantesques. Ils y entrent sans ralentir.

— Les insectes ! Ils font demi-tour ! s'écrie Gryf, à bout de souffle.

— Je ne voudrais pas vous gâcher le plaisir, mais on ferait mieux de ne pas rester ici trop longtemps ! déclare Jadina, la paume de la main posée contre une des tiges. Ces plantes ne sont pas d'origine naturelle, pas plus que ces abeilles, je pense. C'est le fruit d'expériences magiques.

Danaël touche à son tour une tige.

— Tu en es sûre ?

— Je sais reconnaître le travail d'un grand magicien.

— J'imagine la tête du jardinier qui a créé ça ! déclare Gryf en faisant une grimace comique.

— Au lieu de faire l'idiot, regarde plutôt ce qui arrive à Élysio !

Une lumière bleue entoure le jeune voyageur qui a l'air en transe. À côté de lui, son oiseau croasse et bat des ailes, affolé.

— *Je suis déjà venu ici !* déclare Élysio d'une voix qui n'est pas la sienne.

— Tu serais déjà venu à Klafooty ?
s'étrangle Gryf.

Le jeune voyageur s'ouvre la
paume de la main sur une feuille
tranchante. Aussitôt, le sol se met à
se fendiller et à se boursoufler.

— *Réveillez-vous, mes enfants !*

Élysio chancelle et la lumière
faiblit. Alors qu'il se réveille de sa
transe, il découvre un spectacle terri-
fiant : partout autour de lui, de mons-
trueuses créatures végétales sortent
de terre.

CHAPITRE 9

Le sorcier noir

Dans la forêt de plantes, des dizaines de créatures végétales prennent vie. À peine sont-elles debout qu'elles se jettent sur les six compagnons.

— C'est quoi, ces monstres? hurle Danaël en repoussant ses adversaires.

Jadina se fait arracher son bâton alors que Razzia se défend comme un diable. Mais le garçon est rapidement débordé par le nombre. Shimy n'a pas le temps d'utiliser ses pouvoirs que déjà elle est saisie par les griffes de ses ennemis.

— Lionfeu ! Sauve-toi ! hurle l'elfe en se débattant. C'est un ordre !

L'animal bondit alors hors de la mêlée et disparaît. Sa maîtresse résiste encore un instant avant de perdre connaissance.

— Élysio, fais quelque chose, bon

ÉLYSIO ! FAIS QUELQUE CHOSE, BON SANG ! C'EST TOI QUI LES AS RÉVEILLÉS !

sang ! s'écrie Gryf. C'est toi qui les as réveillés. Allez, dépêche-toi !

— Qu'est-ce que tu racontes ? s'étonne le jeune voyageur, paniqué. Quand est-ce que j'aurais fait ça ?

— Quand tu étais en transe, il y a deux minutes !

— Je ne m'en souviens pas !

Gryf est projeté en arrière par un coup. Il retombe au milieu de la mêlée et disparaît, englouti par ses

ennemis. Les Légendaires sont neu-
tralisés !

Élysio, impuissant à sauver ses amis,
sent monter une vague brûlante en
lui. Sa colère explose en un gigantesque ouragan d'énergie destructrice.
La forêt de plantes est désintégrée
et les créatures sont pulvérisées. Les
Légendaires sont libérés, mais déjà
d'autres monstres sortent de terre et
avancent vers lui. Étrangement, les
créatures ne l'attaquent pas. Elles
reniflent l'air.

— Mais qu'est-ze qu'elles font ?
s'étonne Razzia en se redressant.

— Je l'ignore ! répond Jadina.

La magicienne tient Shimy entre
ses bras. L'elfe s'est évanouie, mais
elle est encore en vie.

— Elles sont aveugles ! murmure
Danaël en récupérant son épée dans
les débris de végétaux. C'est grâce

à leur odorat qu'elles se repèrent.

— *Pas de doute possible, c'est bien lui, mes frères!* s'écrie l'une des créatures.

Toutes se prosternent aux pieds d'Élysio, pétrifié.

— *Ô, maître, pardonnez-nous!* clament-elles. *Nous n'avions pas réalisé que c'était vous. Pitié!*

Gryf s'approche de Jadina:

— Tu disais tout à l'heure que ces plantes avaient été créées par un magicien, c'est ça?

— Oui... et j'ai un mauvais pressentiment...

Élysio tremble de tous ses membres:

— Pourquoi vous m'appelez « maître »? Vous me connaissez? Quel est mon nom?

— *Comment ne connaîtrions-nous pas le nom de notre créateur? Vous êtes notre père à tous, celui dont la magie nous a donné la vie!*

— Mon nom ! Quel est mon nom ? hurle Élysio.

— *Vous êtes celui que tous les habitants d'Alysia et du monde elfique craignent… Vous êtes… le sorcier noir !*

Danaël s'est redressé, bouleversé. Les autres Légendaires restent silencieux, partagés entre l'horreur et la stupéfaction.

— Élysio… Élysio est notre ennemi ! murmure le jeune chevalier. C'est le sorcier Darkhell !

 À suivre…

RETROUVE LA PROCHAINE AVENTURE DES LÉGENDAIRES DANS LE TOME 2 :

LES ÉPREUVES DU GARDIEN

Les hommes-plantes ont capturé
Danaël, Jadina, Shimy, Gryf et Razzia !
Comment vont-ils s'en sortir ?
En voulant éviter qu'Élysio redevienne
le monstre qu'il était, les Légendaires
font la rencontre d'un personnage
encore plus malfaisant...

LES EXPLOITS DES LÉGENDAIRES CONTINUENT EN BIBLIOTHÈQUE VERTE!

1. La pierre des dieux

2. Les épreuves du Gardien

3. La guerre des elfes

4. Le sorcier noir

5. La trahison du prince

6. Héros du futur

7. La menace des dieux

8. La corne de Sygma

9. La malédiction d'Anathos

Et pour tout savoir sur tes héros préférés,
file sur www.bibliotheque-verte.com
et sur www.leslegendaires-lesite.com

TABLE

Plonge-toi dans toutes les aventures de Tom à Avantia !

LE DRAGON DE FEU

LE SERPENT DE MER

LE GÉANT DES MONTAGNES

L'HOMME-CHEVAL

LE MONSTRE DES NEIGES

L'OISEAU-FLAMME

LES DRAGONS JUMEAUX

LES DRAGONS ENNEMIS

LE MONSTRE MARIN

LE SINGE GÉANT

L'ENSORCELEUSE

L'HOMME-SERPENT

LE MAÎTRE DES ARAIGNÉES

LE LION À TROIS TÊTES

L'HOMME-TAUREAU

LE CHEVAL AILÉ

LE SERPENT MARIN

LE CHIEN DES TÉNÈBRES

LE SEIGNEUR DES ÉLÉPHANTS

L'HOMME-SCORPION

LA CRÉATURE MALÉFIQUE

LE SPECTRE DU CHEVAL

LE TROLL DES CAVERNES

LE LOUP-GAROU

LE DRAGON DE GLACE

LA PANTHÈRE-FANTÔME

AVENTURES · SUR · MESURE

LE CHAUDRON MAGIQUE

LE POIGNARD MAGIQUE

PAPIER À BASE DE
FIBRES CERTIFIÉES

⊞hachette s'engage pour
l'environnement en réduisant
l'empreinte carbone de ses livres.
Celle de cet exemplaire est de :
350 g éq. CO₂
Rendez-vous sur
www.hachette-durable.fr

Photogravure Nord Compo - Villeneuve d'Ascq

Imprimé en Espagne par CAYFOSA
Dépôt légal : mars 2012
Achevé d'imprimer : avril 2017
20.2530.2/13 – ISBN 978-2-01-202530-1
Loi n° 49956 du 16 juillet 1949
sur les publications destinées à la jeunesse